Décis
Luz-Hery
4eme
b.

COLLECTION DIRIGÉE PAR JEAN-PHILIPPE ARROU-VIGNOD

Pour en savoir plus :
http://www.cercle-enseignement.fr

Guy de Maupassant

La parure
et autres contes
cruels

Illustrations d'Antoine Ronzon

Notes et Carnet de lecture
par Philippe Delpeuch

GALLIMARD JEUNESSE

La parure

C'était une de ces jolies et charmantes filles, nées, comme par une erreur du destin, dans une famille d'employés. Elle n'avait pas de dot, pas d'espérances, aucun moyen d'être connue, com-
5 prise, aimée, épousée par un homme riche et distingué ; et elle se laissa marier avec un petit commis[1] du ministère de l'Instruction publique.

Elle fut simple, ne pouvant être parée ; mais malheureuse comme une déclassée ; car les femmes
10 n'ont point de caste ni de race, leur beauté, leur grâce et leur charme leur servant de naissance[2] et de famille. Leur finesse native, leur instinct d'élégance, leur souplesse d'esprit sont leur seule hiérarchie, et font des filles du peuple les égales des
15 plus grandes dames.

1. Commis : employé.
2. Naissance : appartenance à la noblesse.

Elle souffrait sans cesse, se sentant née pour toutes les délicatesses et tous les luxes. Elle souffrait de la pauvreté de son logement, de la misère des murs, de l'usure des sièges, de la laideur des étoffes. Toutes ces choses, dont une autre femme de sa caste ne se serait même pas aperçue, la torturaient et l'indignaient. La vue de la petite Bretonne qui faisait son humble ménage éveillait en elle des regrets désolés et des rêves éperdus. Elle songeait aux antichambres muettes, capitonnées avec des tentures orientales, éclairées par de hautes torchères de bronze, et aux deux grands valets en culotte courte qui dorment dans les larges fauteuils, assoupis par la chaleur lourde du calorifère[1]. Elle songeait aux grands salons vêtus de soie ancienne, aux meubles fins portant des bibelots inestimables, et aux petits salons coquets, parfumés, faits pour la causerie de cinq heures avec les amis les plus intimes, les hommes connus et recherchés dont toutes les femmes envient et désirent l'attention.

Quand elle s'asseyait, pour dîner, devant la table ronde couverte d'une nappe de trois jours, en face de son mari qui découvrait la soupière en déclarant d'un air enchanté : « Ah ! le bon pot-au-feu ! je ne sais rien de meilleur que cela… », elle songeait aux dîners fins, aux argenteries reluisantes, aux tapisseries peuplant les murailles de personnages

1. Calorifère : radiateur.

anciens et d'oiseaux étranges au milieu d'une forêt de féerie ; elle songeait aux plats exquis servis en des vaisselles merveilleuses, aux galanteries chuchotées et écoutées avec un sourire de sphinx[1], tout en mangeant la chair rose d'une truite ou des ailes de gélinotte.

Elle n'avait pas de toilettes, pas de bijoux, rien. Et elle n'aimait que cela ; elle se sentait faite pour cela. Elle eût tant désiré plaire, être enviée, être séduisante et recherchée.

Elle avait une amie riche, une camarade de couvent qu'elle ne voulait plus aller voir, tant elle souffrait en revenant. Et elle pleurait pendant des jours entiers, de chagrin, de regret, de désespoir et de détresse.

Or, un soir, son mari rentra, l'air glorieux et tenant à la main une large enveloppe.

– Tiens, dit-il, voici quelque chose pour toi.

Elle déchira vivement le papier et en tira une carte imprimée qui portait ces mots :

« Le ministère de l'Instruction publique et Mme Georges Ramponneau prient M. et Mme Loisel de leur faire l'honneur de venir passer la soirée à l'hôtel du ministère, le lundi 18 janvier. »

Au lieu d'être ravie, comme l'espérait son mari, elle jeta avec dépit l'invitation sur la table, murmurant :

1. Sourire de sphinx : sourire mystérieux.

– Que veux-tu que je fasse de cela ?

– Mais, ma chérie, je pensais que tu serais contente. Tu ne sors jamais, et c'est une occasion, cela, une belle ! J'ai eu une peine infinie à l'obtenir. Tout le monde en veut ; c'est très recherché et on n'en donne pas beaucoup aux employés. Tu verras là tout le monde officiel.

Elle le regardait d'un œil irrité, et elle déclara avec impatience :

– Que veux-tu que je me mette sur le dos pour aller là ?

Il n'y avait pas songé ; il balbutia :

– Mais la robe avec laquelle tu vas au théâtre. Elle me semble très bien, à moi…

Il se tut, stupéfait, éperdu, en voyant que sa femme pleurait. Deux grosses larmes descendaient lentement des coins des yeux vers les coins de la bouche ; il bégaya :

– Qu'as-tu ? qu'as-tu ?

Mais, par un effort violent, elle avait dompté sa peine et elle répondit d'une voix calme en essuyant ses joues humides :

– Rien. Seulement je n'ai pas de toilette et par conséquent je ne peux aller à cette fête. Donne ta carte à quelque collègue dont la femme sera mieux nippée[1] que moi.

Il était désolé. Il reprit :

1. Nippée : habillée.

– Voyons, Mathilde. Combien cela coûterait-il, une toilette convenable, qui pourrait te servir encore en d'autres occasions, quelque chose de très simple ?

Elle réfléchit quelques secondes, établissant ses comptes et songeant aussi à la somme qu'elle pouvait demander sans s'attirer un refus immédiat et une exclamation effarée[1] du commis économe.

Enfin, elle répondit en hésitant :

– Je ne sais pas au juste, mais il me semble qu'avec quatre cents francs je pourrais arriver.

Il avait un peu pâli, car il réservait juste cette somme pour acheter un fusil et s'offrir des parties de chasse, l'été suivant, dans la plaine de Nanterre, avec quelques amis qui allaient tirer des alouettes, par là, le dimanche.

Il dit cependant :

– Soit. Je te donne quatre cents francs. Mais tâche d'avoir une belle robe.

Le jour de la fête approchait, et Mme Loisel semblait triste, inquiète, anxieuse. Sa toilette était prête cependant. Son mari lui dit un soir :

– Qu'as-tu ? Voyons, tu es toute drôle depuis trois jours.

Et elle répondit :

– Cela m'ennuie de n'avoir pas un bijou, pas une

---

1. Effarée : ahurie, stupéfiée.

pierre, rien à mettre sur moi. J'aurai l'air misère[1]
comme tout. J'aimerais presque mieux ne pas aller
à cette soirée.

Il reprit :

– Tu mettras des fleurs naturelles. C'est très chic
en cette saison-ci. Pour dix francs tu auras deux ou
trois roses magnifiques.

Elle n'était point convaincue.

– Non… il n'y a rien de plus humiliant que
d'avoir l'air pauvre au milieu de femmes riches.

Mais son mari s'écria :

– Que tu es bête ! Va trouver ton amie Mme Forestier et demande-lui de te prêter des bijoux. Tu es
bien assez liée avec elle pour faire cela.

Elle poussa un cri de joie.

– C'est vrai. Je n'y avais point pensé.

Le lendemain, elle se rendit chez son amie et lui
conta sa détresse.

Mme Forestier alla vers son armoire à glace, prit
un large coffret, l'apporta, l'ouvrit, et dit à
Mme Loisel :

– Choisis, ma chère.

Elle vit d'abord des bracelets, puis un collier de
perles, puis une croix vénitienne, or et pierreries,
d'un admirable travail. Elle essayait les parures
devant la glace, hésitait, ne pouvait se décider à
les quitter, à les rendre. Elle demandait toujours :

1. Misère : misérable.

– Tu n'as plus rien d'autre ?

– Mais si. Cherche. Je ne sais pas ce qui peut te plaire.

Tout à coup elle découvrit, dans une boîte de satin noir, une superbe rivière[1] de diamants ; et son cœur se mit à battre d'un désir immodéré. Ses mains tremblaient en la prenant. Elle l'attacha autour de sa gorge, sur sa robe montante, et demeura en extase devant elle-même.

Puis, elle demanda, hésitante, pleine d'angoisse :

– Peux-tu me prêter cela, rien que cela ?

– Mais oui, certainement.

Elle sauta au cou de son amie, l'embrassa avec emportement, puis s'enfuit avec son trésor.

Le jour de la fête arriva. Mme Loisel eut un succès. Elle était plus jolie que toutes, élégante, gracieuse, souriante et folle de joie. Tous les hommes la regardaient, demandaient son nom, cherchaient à être présentés. Tous les attachés du cabinet[2] voulaient valser avec elle. Le ministre la remarqua.

Elle dansait avec ivresse, avec emportement, grisée[3] par le plaisir, ne pensant plus à rien, dans le triomphe de sa beauté, dans la gloire de son succès, dans une sorte de nuage de bonheur fait de tous

1. Rivière : collier de pierres précieuses.
2. Attaché du cabinet : personne liée à un ministère.
3. Grisée : enivrée.

13

ces hommages, de toutes ces admirations, de tous ces désirs éveillés, de cette victoire si complète et si douce au cœur des femmes.

Elle partit vers quatre heures du matin. Son mari, depuis minuit, dormait dans un petit salon désert avec trois autres messieurs dont les femmes s'amusaient beaucoup.

Il lui jeta sur les épaules les vêtements qu'il avait apportés pour la sortie, modestes vêtements de la vie ordinaire, dont la pauvreté jurait avec l'élégance de la toilette de bal. Elle le sentit et voulut s'enfuir, pour ne pas être remarquée par les autres femmes qui s'enveloppaient de riches fourrures.

Loisel la retenait :

– Attends donc. Tu vas attraper froid dehors. Je vais appeler un fiacre[1].

Mais elle ne l'écoutait point et descendait rapidement l'escalier. Lorsqu'ils furent dans la rue, ils ne trouvèrent pas de voiture ; et ils se mirent à chercher, criant après les cochers qu'ils voyaient passer de loin.

Ils descendaient vers la Seine, désespérés, grelottants. Enfin ils trouvèrent sur le quai un de ces vieux coupés noctambules qu'on ne voit dans Paris que la nuit venue, comme s'ils eussent été honteux de leur misère pendant le jour.

Il les ramena jusqu'à leur porte, rue des Martyrs,

---

1. Fiacre : voiture à cheval, employée autrefois comme les taxis actuels.

et ils remontèrent tristement chez eux. C'était fini, pour elle. Et il songeait, lui, qu'il lui faudrait être au ministère à dix heures.

Elle ôta les vêtements dont elle s'était enveloppé les épaules, devant la glace, afin de se voir encore une fois dans sa gloire. Mais soudain elle poussa un cri. Elle n'avait plus sa rivière autour du cou.

Son mari, à moitié dévêtu déjà, demanda :

– Qu'est-ce que tu as ?

Elle se tourna vers lui, affolée :

– J'ai… j'ai… je n'ai plus la rivière de Mme Forestier.

Il se dressa, éperdu :

– Quoi !… comment !… Ce n'est pas possible !

Et ils cherchèrent dans les plis de la robe, dans les plis du manteau, dans les poches, partout. Ils ne la trouvèrent point.

Il demandait :

– Tu es sûre que tu l'avais encore en quittant le bal ?

– Oui, je l'ai touchée dans le vestibule du ministère.

– Mais si tu l'avais perdue dans la rue, nous l'aurions entendue tomber. Elle doit être dans le fiacre.

– Oui. C'est probable. As-tu pris le numéro ?

– Non. Et toi, tu ne l'as pas regardé ?

– Non.

Ils se contemplaient atterrés. Enfin Loisel se rhabilla.

– Je vais, dit-il, refaire tout le trajet que nous avons fait à pied, pour voir si je ne la retrouverai pas.

Et il sortit. Elle demeura en toilette de soirée, sans force pour se coucher, abattue sur une chaise, sans feu, sans pensée.

Son mari rentra vers sept heures. Il n'avait rien trouvé.

Il se rendit à la Préfecture de police, aux journaux, pour faire promettre une récompense, aux compagnies de petites voitures, partout enfin où un soupçon d'espoir le poussait.

Elle attendit tout le jour, dans le même état d'effarement devant cet affreux désastre.

Loisel revint le soir, avec la figure creusée, pâlie; il n'avait rien découvert.

– Il faut, dit-il, écrire à ton amie que tu as brisé la fermeture de sa rivière et que tu la fais réparer. Cela nous donnera le temps de nous retourner.

Elle écrivit sous sa dictée.

Au bout d'une semaine, ils avaient perdu toute espérance.

Et Loisel, vieilli de cinq ans, déclara :

– Il faut aviser à[1] remplacer ce bijou.

Ils prirent, le lendemain, la boîte qui l'avait ren-

1. Aviser à : songer à.

fermé, et se rendirent chez le joaillier, dont le nom se trouvait dedans. Il consulta ses livres :

– Ce n'est pas moi, madame, qui ai vendu cette rivière ; j'ai dû seulement fournir l'écrin[1].

Alors ils allèrent de bijoutier en bijoutier, cherchant une parure pareille à l'autre, consultant leurs souvenirs, malades tous deux de chagrin et d'angoisse.

Ils trouvèrent, dans une boutique du Palais-Royal, un chapelet de diamants qui leur parut entièrement semblable à celui qu'ils cherchaient. Il valait quarante mille francs. On le leur laisserait à trente-six mille.

Ils prièrent donc le joaillier de ne pas le vendre avant trois jours. Et ils firent condition qu'on le reprendrait pour trente-quatre mille francs, si le premier était retrouvé avant la fin de février.

Loisel possédait dix-huit mille francs que lui avait laissés son père. Il emprunterait le reste.

Il emprunta, demandant mille francs à l'un, cinq cents à l'autre, cinq louis par-ci, trois louis par-là. Il fit des billets, prit des engagements ruineux, eut affaire aux usuriers[2], à toutes les races de prêteurs. Il compromit toute la fin de son existence, risqua sa signature sans savoir même s'il pourrait y faire

1. Écrin : coffret à bijou.
2. Usurier : personne qui prête de l'argent avec un taux d'intérêt supérieur au taux légal.

honneur[1], et, épouvanté par les angoisses de l'avenir, par la noire misère qui allait s'abattre sur lui, par la perspective de toutes les privations physiques et de toutes les tortures morales, il alla chercher la rivière nouvelle, en déposant sur le comptoir du marchand trente-six mille francs.

Quand Mme Loisel reporta la parure à Mme Forestier, celle-ci lui dit, d'un air froissé :

– Tu aurais dû me la rendre plus tôt, car je pouvais en avoir besoin.

Elle n'ouvrit pas l'écrin, ce que redoutait son amie. Si elle s'était aperçue de la substitution, qu'aurait-elle pensé ? qu'aurait-elle dit ? Ne l'aurait-elle pas prise pour une voleuse ?

Mme Loisel connut la vie horrible des nécessiteux[2]. Elle prit son parti, d'ailleurs, tout d'un coup, héroïquement. Il fallait payer cette dette effroyable. Elle payerait. On renvoya la bonne ; on changea de logement ; on loua sous les toits une mansarde[3].

Elle connut les gros travaux du ménage, les odieuses besognes[4] de la cuisine. Elle lava la vaisselle, usant ses ongles roses sur les poteries grasses et le fond des casseroles. Elle savonna le linge sale,

---

1. Faire honneur : tenir ses engagements.
2. Nécessiteux : pauvre.
3. Mansarde : logement aménagé sous les toits.
4. Besogne : tâche, travail.

les chemises et les torchons, qu'elle faisait sécher sur une corde ; elle descendit à la rue, chaque matin, les ordures, et monta l'eau, s'arrêtant à chaque étage pour souffler. Et, vêtue comme une femme du peuple, elle alla chez le fruitier, chez l'épicier, chez le boucher, le panier au bras, marchandant, injuriée, défendant sou à sou son misérable argent.

Il fallait chaque mois payer des billets, en renouveler d'autres, obtenir du temps.

Le mari travaillait, le soir, à mettre au net les comptes d'un commerçant, et la nuit, souvent, il faisait de la copie à cinq sous la page.

Et cette vie dura dix ans.

Au bout de dix ans, ils avaient tout restitué, tout, avec le taux de l'usure, et l'accumulation des intérêts superposés.

Mme Loisel semblait vieille, maintenant. Elle était devenue la femme forte, et dure, et rude, des ménages pauvres. Mal peignée, avec les jupes de travers et les mains rouges, elle parlait haut, lavait à grande eau les planchers. Mais parfois, lorsque son mari était au bureau, elle s'asseyait auprès de la fenêtre, et elle songeait à cette soirée d'autrefois, à ce bal où elle avait été si belle et si fêtée.

Que serait-il arrivé si elle n'avait point perdu cette parure ? Qui sait ? qui sait ? Comme la vie est singulière, changeante ! Comme il faut peu de chose pour vous perdre ou vous sauver !

Or, un dimanche, comme elle était allée faire un tour aux Champs-Élysées pour se délasser des besognes de la semaine, elle aperçut tout à coup une femme qui promenait un enfant. C'était Mme Forestier, toujours jeune, toujours belle, toujours séduisante. Mme Loisel se sentit émue. Allait-elle lui parler ? Oui, certes. Et maintenant qu'elle avait payé, elle lui dirait tout. Pourquoi pas ?

Elle s'approcha.

– Bonjour, Jeanne.

L'autre ne la reconnaissait point, s'étonnant d'être appelée ainsi familièrement par cette bourgeoise. Elle balbutia :

– Mais… madame !… Je ne sais… Vous devez vous tromper.

– Non. Je suis Mathilde Loisel.

Son amie poussa un cri :

– Oh !… ma pauvre Mathilde, comme tu es changée !…

– Oui, j'ai eu des jours bien durs, depuis que je ne t'ai vue ; et bien des misères… et cela à cause de toi !…

– De moi… Comment ça ?

– Tu te rappelles bien cette rivière de diamants que tu m'as prêtée pour aller à la fête du ministère.

– Oui. Eh bien ?

– Eh bien, je l'ai perdue.

– Comment ! puisque tu me l'as rapportée.

30 – Je t'en ai rapporté une autre toute pareille. Et voilà dix ans que nous la payons. Tu comprends que ça n'était pas aisé pour nous, qui n'avions rien… Enfin, c'est fini et je suis rudement contente.

Mme Forestier s'était arrêtée.

35 – Tu dis que tu as acheté une rivière de diamants pour remplacer la mienne ?

– Oui. Tu ne t'en étais pas aperçue, hein ? Elles étaient bien pareilles.

Et elle souriait d'une joie orgueilleuse et naïve.

40 Mme Forestier, fort émue, lui prit les deux mains.

– Oh ! ma pauvre Mathilde ! Mais la mienne était fausse. Elle valait au plus cinq cents francs !…

Un lâche

On l'appelait dans le monde : le « beau Signoles ». Il se nommait le vicomte Gontran-Joseph de Signoles.

Orphelin et maître d'une fortune suffisante, il faisait figure[1], comme on dit. Il avait de la tournure et de l'allure, assez de parole pour faire croire à de l'esprit[2], une certaine grâce naturelle, un air de noblesse et de fierté, la moustache brave et l'œil doux, ce qui plaît aux femmes.

Il était demandé dans les salons, recherché par les valseuses, et il inspirait aux hommes cette inimitié souriante qu'on a pour les gens de figure énergique. On lui avait soupçonné quelques amours capables de donner fort bonne opinion d'un garçon. Il vivait heureux, tranquille, dans le

1. Faisait figure : se distinguait.
2. Esprit : intelligence fine et brillante.

bien-être moral le plus complet. On savait qu'il tirait bien l'épée et mieux encore le pistolet.

– Quand je me battrai, disait-il, je choisirai le pistolet. Avec cette arme, je suis sûr de tuer mon homme.

Or, un soir, comme il avait accompagné au théâtre deux jeunes femmes de ses amies, escortées d'ailleurs de leurs époux, il leur offrit, après le spectacle, de prendre une glace chez Tortoni[1]. Ils étaient entrés depuis quelques minutes, quand il s'aperçut qu'un monsieur assis à une table voisine regardait avec obstination une de ses voisines. Elle semblait gênée, inquiète, baissait la tête. Enfin elle dit à son mari :

– Voici un homme qui me dévisage. Moi, je ne le connais pas ; le connais-tu ?

Le mari, qui n'avait rien vu, leva les yeux mais déclara :

– Non, pas du tout.

La jeune femme reprit, moitié souriante, moitié fâchée :

– C'est fort gênant ; cet individu me gâte ma glace.

Le mari haussa les épaules :

– Bast ! n'y fais pas attention. S'il fallait s'occuper de tous les insolents qu'on rencontre, on n'en finirait pas.

Mais le vicomte s'était levé brusquement. Il ne pouvait admettre que cet inconnu gâtât une glace

1. Tortoni : café parisien très en vogue au XIXe siècle.

qu'il avait offerte. C'était à lui que l'injure s'adressait, puisque c'était par lui et pour lui que ses amis étaient entrés dans ce café. L'affaire donc ne regardait que lui.

Il s'avança vers l'homme et lui dit :

— Vous avez, Monsieur, une manière de regarder ces dames que je ne puis tolérer. Je vous prie de vouloir bien cesser cette insistance.

L'autre répliqua :

— Vous allez me ficher la paix, vous.

Le vicomte déclara, les dents serrées :

— Prenez garde, Monsieur, vous allez me forcer à passer la mesure.

Le monsieur ne répondit qu'un mot, un mot ordurier qui sonna d'un bout à l'autre du café, et fit, comme par l'effet d'un ressort, accomplir à chaque consommateur un mouvement brusque. Tous ceux qui tournaient le dos se retournèrent ; tous les autres levèrent la tête ; trois garçons pivotèrent sur leurs talons comme des toupies ; les deux dames du comptoir eurent un sursaut, puis une conversion du torse entier, comme si elles eussent été deux automates obéissant à la même manivelle.

Un grand silence s'était fait. Puis, tout à coup, un bruit sec claqua dans l'air ; le vicomte avait giflé son adversaire. Tout le monde se leva pour s'interposer. Des cartes furent échangées[1].

---

1. Des cartes furent échangées : les deux hommes ont échangé leur carte de visite afin d'organiser un duel.

Quand le vicomte fut rentré chez lui, il marcha pendant quelques minutes à grands pas vifs, à travers sa chambre. Il était trop agité pour réfléchir à rien. Une seule idée planait sur son esprit : « un duel », sans que cette idée éveillât encore en lui une émotion quelconque. Il avait fait ce qu'il devait faire ; il s'était montré ce qu'il devait être. On en parlerait, on l'approuverait, on le féliciterait. Il répétait à voix haute, parlant comme on parle dans les grands troubles de pensée :

– Quelle brute que cet homme !

Puis il s'assit et se mit à réfléchir. Il lui fallait, dès le matin, trouver des témoins. Qui choisirait-il ? Il cherchait les gens les plus posés et les plus célèbres de sa connaissance. Il prit enfin le marquis de La Tour-Noire et le colonel Bourdin, un grand seigneur et un soldat, c'était fort bien. Leurs noms porteraient[1] dans les journaux. Il s'aperçut qu'il avait soif et il but, coup sur coup, trois verres d'eau ; puis il se remit à marcher. Il se sentait plein d'énergie. En se montrant crâne[2], résolu à tout, et en exigeant des conditions rigoureuses, dangereuses, en réclamant un duel sérieux, très sérieux, terrible, son adversaire reculerait probablement et ferait des excuses.

Il reprit la carte qu'il avait tirée de sa poche et

1. Porteraient : feraient de l'effet, auraient du retentissement.
2. Crâne : fier, brave.

lue, au café, d'un coup d'œil et, dans le fiacre, à la lueur de chaque bec de gaz, en revenant. « Georges Lamil, 51, rue Moncey. » Rien de plus.

Il examinait ces lettres assemblées qui lui paraissaient mystérieuses, pleines de sens confus : Georges Lamil ! Qui était cet homme ? Que faisait-il ? Pourquoi avait-il regardé cette femme d'une pareille façon ? N'était-ce pas révoltant qu'un étranger, un inconnu vînt troubler ainsi votre vie, tout d'un coup, parce qu'il lui avait plu de fixer insolemment les yeux sur une femme ? Et le vicomte répéta encore une fois, à haute voix :

– Quelle brute !

Puis il demeura immobile, debout, songeant, le regard toujours planté sur la carte. Une colère s'éveillait en lui contre ce morceau de papier, une colère haineuse où se mêlait un étrange sentiment de malaise. C'était stupide, cette histoire-là ! Il prit un canif ouvert sous sa main et le piqua au milieu du nom imprimé, comme s'il eût poignardé quelqu'un.

Donc il fallait se battre ! Choisirait-il l'épée ou le pistolet, car il se considérait bien comme l'insulté. Avec l'épée, il risquait moins ; mais avec le pistolet il avait chance de faire reculer son adversaire. Il est bien rare qu'un duel à l'épée soit mortel, une prudence réciproque empêchant les combattants de se tenir en garde assez près l'un de l'autre pour qu'une pointe entre profondément.

Avec le pistolet il risquait sa vie sérieusement ; mais il pouvait aussi se tirer d'affaire avec tous les honneurs de la situation et sans arriver à une rencontre.

Il prononça :

– Il faut être ferme. Il aura peur.

Le son de sa voix le fit tressaillir et il regarda autour de lui. Il se sentait fort nerveux. Il but encore un verre d'eau, puis commença à se dévêtir pour se coucher.

Dès qu'il fut au lit il souffla sa lumière et ferma les yeux.

Il pensait :

« J'ai toute la journée de demain pour m'occuper de mes affaires. Dormons d'abord afin d'être calme. »

Il avait très chaud dans ses draps, mais il ne pouvait parvenir à s'assoupir. Il se tournait et se retournait, demeurait cinq minutes sur le dos, puis se plaçait sur le côté gauche, puis se roulait sur le côté droit.

Il avait encore soif. Il se releva pour boire. Puis une inquiétude le saisit :

« Est-ce que j'aurais peur ? »

Pourquoi son cœur se mettait-il à battre follement à chaque bruit connu de sa chambre ? Quand la pendule allait sonner, le petit grincement du ressort qui se dresse lui faisait faire un sursaut ; et il lui fallait ouvrir la bouche pour respirer ensuite pendant quelques secondes, tant il demeurait oppressé.

Il se mit à raisonner avec lui-même sur la possibilité de cette chose :

« Aurais-je peur ? »

Non certes, il n'aurait pas peur, puisqu'il était résolu à aller jusqu'au bout, puisqu'il avait cette volonté bien arrêtée de se battre, de ne pas trembler. Mais il se sentait si profondément troublé qu'il se demanda :

« Peut-on avoir peur, malgré soi ? »

Et ce doute l'envahit, cette inquiétude, cette épouvante, si une force plus puissante que sa volonté, dominatrice, irrésistible, le domptait, qu'arriverait-il ? Oui, que pouvait-il arriver ? Certes, il irait sur le terrain, puisqu'il voulait y aller. Mais s'il tremblait ? Mais s'il perdait connaissance ? Et il songea à sa situation, à sa réputation, à son nom.

Et un singulier besoin le prit tout à coup de se relever pour se regarder dans la glace. Il ralluma sa bougie. Quand il aperçut son visage reflété dans le verre poli, il se reconnut à peine, et il lui sembla qu'il ne s'était jamais vu. Ses yeux lui parurent énormes ; et il était pâle, certes, il était pâle, très pâle.

Il restait debout en face du miroir. Il tira la langue comme pour constater l'état de sa santé, et tout d'un coup cette pensée entra en lui à la façon d'une balle :

« Après-demain, à cette heure-ci, je serai peut-être mort. »

Et son cœur se remit à battre furieusement.

« Après-demain à cette heure-ci, je serai peut-être mort. Cette personne en face de moi, ce moi que je vois dans cette glace, ne sera plus. Comment ! me voici, je me regarde, je me sens vivre, et dans vingt-quatre heures je serai couché dans ce lit, mort, les yeux fermés, froid, inanimé, disparu. »

Il se retourna vers la couche et il se vit distinctement étendu sur le dos dans ces mêmes draps qu'il venait de quitter. Il avait ce visage creux qu'ont les morts et cette mollesse des mains qui ne remueront plus.

Alors il eut peur de son lit et, pour ne plus le regarder, il passa dans son fumoir. Il prit machinalement un cigare, l'alluma et se remit à marcher. Il avait froid ; il alla vers la sonnette pour réveiller son valet de chambre ; mais il s'arrêta, la main levée vers le cordon :

« Cet homme va s'apercevoir que j'ai peur. »

Et il ne sonna pas, il fit du feu. Ses mains tremblaient un peu, d'un frémissement nerveux, quand elles touchaient les objets. Sa tête s'égarait ; ses pensées, troubles, devenaient fuyantes, brusques, douloureuses ; une ivresse envahissait son esprit comme s'il eût bu.

Et sans cesse il se demandait :

« Que vais-je faire ? Que vais-je devenir ? »

Tout son corps vibrait, parcouru de tressaillements saccadés; il se releva et, s'approchant de la fenêtre, ouvrit les rideaux.

Le jour venait, un jour d'été. Le ciel rosé faisait rosés la ville, les toits et les murs. Une grande tombée de lumière tendue, pareille à une caresse du soleil levant, enveloppait le monde réveillé; et, avec cette lueur, un espoir gai, rapide, brutal, envahit le cœur du vicomte! Était-il fou de s'être laissé ainsi terrasser par la crainte, avant même que rien fût décidé, avant que ses témoins eussent vu ceux de ce Georges Lamil, avant qu'il sût encore s'il allait seulement se battre?

Il fit sa toilette, s'habilla et sortit d'un pas ferme.

Il se répétait, tout en marchant:

« Il faut que je sois énergique, très énergique. Il faut que je prouve que je n'ai pas peur. »

Ses témoins, le marquis et le colonel, se mirent à sa disposition, et après lui avoir serré énergiquement les mains, discutèrent les conditions.

Le colonel demanda:

– Vous voulez un duel sérieux?

Le vicomte répondit:

– Très sérieux.

Le marquis reprit:

– Vous tenez au pistolet?

– Oui.

– Nous laissez-vous libres de régler le reste?

Le vicomte articula d'une voix sèche, saccadée :

– Vingt pas, au commandement, en levant l'arme au lieu de l'abaisser. Échange de balles jusqu'à blessure grave.

Le colonel déclara d'un ton satisfait :

– Ce sont des conditions excellentes. Vous tirez bien, toutes les chances sont pour vous.

Et ils partirent. Le vicomte rentra chez lui pour les attendre. Son agitation, apaisée un moment, grandissait maintenant de minute en minute. Il se sentait le long des bras, le long des jambes, dans la poitrine, une sorte de frémissement, de vibration continue ; il ne pouvait tenir en place, ni assis, ni debout. Il n'avait plus dans la bouche une apparence de salive, et il faisait à tout instant un mouvement bruyant de la langue, comme pour la décoller de son palais.

Il voulut déjeuner, mais il ne put manger. Alors l'idée lui vint de boire pour se donner du courage, et il se fit apporter un carafon de rhum dont il avala, coup sur coup, six petits verres.

Une chaleur, pareille à une brûlure, l'envahit, suivie aussitôt d'un étourdissement de l'âme. Il pensa :

– Je tiens le moyen. Maintenant ça va bien.

Mais au bout d'une heure il avait vidé le carafon, et son état d'agitation redevenait intolérable. Il sentait un besoin fou de se rouler par terre, de crier, de mordre. Le soir tombait.

Un coup de timbre lui donna une telle suffocation qu'il n'eut pas la force de se lever pour recevoir ses témoins.

Il n'osait même plus leur parler, leur dire «bonjour», prononcer un seul mot, de crainte qu'ils ne devinassent tout à l'altération de sa voix.

Le colonel prononça :

– Tout est réglé aux conditions que vous avez fixées. Votre adversaire réclamait d'abord les privilèges d'offensé, mais il a cédé presque aussitôt et a tout accepté. Ses témoins sont deux militaires.

Le vicomte prononça :

– Merci.

Le marquis reprit :

– Excusez-nous si nous ne faisons qu'entrer et sortir, mais nous avons encore à nous occuper de mille choses. Il faut un bon médecin, puisque le combat ne cessera qu'après blessure grave, et vous savez que les balles ne badinent pas. Il faut désigner l'endroit, à proximité d'une maison pour y porter le blessé si c'est nécessaire, etc. ; enfin, nous en avons encore pour deux ou trois heures.

Le vicomte articula une seconde fois :

– Merci.

Le colonel demanda :

– Vous allez bien ? vous êtes calme ?

– Oui, très calme, merci.

Les deux hommes se retirèrent.

Quand il se sentit seul de nouveau, il lui sembla qu'il devenait fou. Son domestique ayant allumé les lampes, il s'assit devant sa table pour écrire des lettres. Après avoir tracé, au haut d'une page : « Ceci est mon testament... » il se releva d'une secousse et s'éloigna, se sentant incapable d'unir deux idées, de prendre une résolution, de décider quoi que ce fût.

Ainsi, il allait se battre ! Il ne pouvait plus éviter cela. Que se passait-il donc en lui ? Il voulait se battre, il avait cette intention et cette résolution fermement arrêtées ; et il sentait bien, malgré tout l'effort de son esprit et toute la tension de sa volonté, qu'il ne pourrait même conserver la force nécessaire pour aller jusqu'au lieu de la rencontre. Il cherchait à se figurer le combat, son attitude à lui et la tenue de son adversaire.

De temps en temps, ses dents s'entrechoquaient dans sa bouche avec un petit bruit sec. Il voulut lire, et prit le code du duel de Châteauvillard. Puis il se demanda :

« Mon adversaire a-t-il fréquenté les tirs[1] ? Est-il connu ? Est-il classé ? Comment le savoir ? »

Il se souvint du livre du baron de Vaux sur les tireurs au pistolet, et il le parcourut d'un bout à l'autre. Georges Lamil n'y était pas nommé. Mais cependant si cet homme n'était pas un tireur, il

1. Tir : lieu où l'on s'entraîne à tirer aux armes à feu.

n'aurait pas accepté immédiatement cette arme dangereuse et ces conditions mortelles !

Il ouvrit, en passant, une boîte de Gastinne Renette[1] posée sur un guéridon, et prit un des pistolets, puis il se plaça comme pour tirer et leva le bras. Mais il tremblait des pieds à la tête et le canon remuait dans tous les sens.

Alors, il se dit :

« C'est impossible. Je ne puis me battre ainsi. »

Il regardait au bout du canon ce petit trou noir et profond qui crache la mort, il songeait au déshonneur, aux chuchotements dans les cercles[2], aux rires dans les salons, au mépris des femmes, aux allusions des journaux, aux insultes que lui jetteraient les lâches.

Il regardait toujours l'arme, et, levant le chien[3], il vit soudain une amorce briller dessous comme une petite flamme rouge. Le pistolet était demeuré chargé, par hasard, par oubli. Et il éprouva de cela une joie confuse, inexplicable.

S'il n'avait pas, devant l'autre, la tenue noble et calme qu'il faut, il serait perdu à tout jamais. Il serait taché, marqué d'un signe d'infamie, chassé du monde ! Et cette tenue calme et crâne, il ne l'aurait pas, il le savait, il le sentait. Pourtant il était brave, puisqu'il voulait se battre !… Il était

---

1. Gastinne Renette : célèbre armurier.
2. Cercle : association, club.
3. Chien : pièce d'une arme à feu guidant le percuteur.

brave, puisque… La pensée qui l'effleura ne s'acheva même pas dans son esprit ; mais, ouvrant la bouche toute grande, il s'enfonça brusquement, jusqu'au fond de la gorge, le canon de son pistolet, et il appuya sur la gâchette…

Quand son valet de chambre accourut, attiré par la détonation, il le trouva mort, sur le dos. Un jet de sang avait éclaboussé le papier blanc sur la table et faisait une grande tache rouge au-dessous de ces quatre mots :

« Ceci est mon testament. »

Coco

Dans tout le pays environnant on appelait la ferme des Lucas « la Métairie ». On n'aurait su dire pourquoi. Les paysans, sans doute, attachaient à ce mot « métairie » une idée de richesse et de grandeur, car cette ferme était assurément la plus vaste, la plus opulente et la plus ordonnée de la contrée.

La cour, immense, entourée de cinq rangs d'arbres magnifiques pour abriter contre le vent violent de la plaine les pommiers trapus et délicats, enfermait de longs bâtiments couverts en tuiles pour conserver les fourrages et les grains, de belles étables bâties en silex, des écuries pour trente chevaux, et une maison d'habitation en briques rouges, qui ressemblait à un petit château.

Les fumiers étaient bien tenus ; les chiens de garde habitaient en des niches, un peuple de volailles circulait dans l'herbe haute.

Chaque midi, quinze personnes, maîtres, valets

et servantes, prenaient place autour de la longue table de cuisine où fumait la soupe dans un grand vase de faïence à fleurs bleues.

Les bêtes, chevaux, vaches, porcs et moutons, étaient grasses, soignées et propres; et maître Lucas, un grand homme qui prenait du ventre, faisait sa ronde trois fois par jour, veillant sur tout et pensant à tout.

On conservait, par charité, dans le fond de l'écurie, un très vieux cheval blanc que la maîtresse voulait nourrir jusqu'à sa mort naturelle, parce qu'elle l'avait élevé, gardé toujours, et qu'il lui rappelait des souvenirs.

Un goujat[1] de quinze ans, nommé Isidore Duval, et appelé plus simplement Zidore, prenait soin de cet invalide, lui donnait, pendant l'hiver, sa mesure d'avoine et son fourrage, et devait aller quatre fois par jour, en été, le déplacer dans la côte où on l'attachait, afin qu'il eût en abondance de l'herbe fraîche.

L'animal, presque perclus[2], levait avec peine ses jambes lourdes, grosses des genoux et enflées au-dessus des sabots. Ses poils, qu'on n'étrillait[3] plus jamais, avaient l'air de cheveux blancs, et des cils très longs donnaient à ses yeux un air triste.

Quand Zidore le menait à l'herbe, il lui fallait

1. Goujat: valet de ferme.
2. Perclus: paralysé.
3. Étrillait: frottait.

tirer sur la corde, tant la bête allait lentement ; et le gars, courbé, haletant, jurait contre elle, s'exaspérant d'avoir à soigner cette vieille rosse.

Les gens de la ferme, voyant cette colère du goujat contre Coco, s'en amusaient, parlaient sans cesse du cheval à Zidore pour exaspérer le gamin. Ses camarades le plaisantaient. On l'appelait dans le village Coco-Zidore.

Le gars rageait, sentant naître en lui le désir de se venger du cheval. C'était un maigre enfant haut sur jambes, très sale, coiffé de cheveux roux, épais, durs et hérissés. Il semblait stupide, parlait en bégayant, avec une peine infinie, comme si les idées n'eussent pu se former dans son âme épaisse de brute.

Depuis longtemps déjà, il s'étonnait qu'on gardât Coco, s'indignant de voir perdre du bien pour cette bête inutile. Du moment qu'elle ne travaillait plus, il lui semblait injuste de la nourrir, il lui semblait révoltant de gaspiller de l'avoine, de l'avoine qui coûtait si cher, pour ce bidet[1] paralysé. Et souvent même, malgré les ordres de maître Lucas, il économisait sur la nourriture du cheval, ne lui versant qu'une demi-mesure, ménageant sa litière et son foin. Et une haine grandissait en son esprit confus d'enfant, une haine de paysan rapace, de paysan sournois, féroce, brutal et lâche.

1. Bidet : petit cheval.

Lorsque revint l'été, il lui fallut aller remuer[1] la bête dans sa côte. C'était loin. Le goujat, plus furieux chaque matin, partait de son pas lourd à travers les blés. Les hommes qui travaillaient dans les terres lui criaient, par plaisanterie :

– Hé Zidore, tu f'ras mes compliments à Coco.

Il ne répondait point ; mais il cassait, en passant, une baguette dans une haie et, dès qu'il avait déplacé l'attache du vieux cheval, il le laissait se remettre à brouter ; puis, approchant traîtreusement, il lui cinglait[2] les jarrets. L'animal essayait de fuir, de ruer, d'échapper aux coups, et il tournait au bout de sa corde comme s'il eût été enfermé dans une piste. Et le gars le frappait avec rage, courant derrière, acharné, les dents serrées par la colère.

Puis il s'en allait lentement, sans se retourner, tandis que le cheval le regardait partir de son œil de vieux, les côtes saillantes, essoufflé d'avoir trotté. Et il ne rebaissait vers l'herbe sa tête osseuse et blanche qu'après avoir vu disparaître au loin la blouse bleue du jeune paysan.

Comme les nuits étaient chaudes, on laissait maintenant Coco coucher dehors, là-bas, au bord de la ravine, derrière le bois. Zidore seul allait le voir.

L'enfant s'amusait encore à lui jeter des pierres.

1. Remuer : changer de place.
2. Cinglait : fouettait.

Il s'asseyait à dix pas de lui, sur un talus, et il restait là une demi-heure, lançant de temps en temps un caillou tranchant au bidet, qui demeurait debout, enchaîné devant son ennemi, et le regardant sans cesse, sans oser paître avant qu'il fût reparti.

Mais toujours cette pensée restait plantée dans l'esprit du goujat : « Pourquoi nourrir ce cheval qui ne faisait plus rien ? » Il lui semblait que cette misérable rosse volait le manger des autres, volait l'avoir des hommes, le bien du bon Dieu, le volait même aussi, lui, Zidore, qui travaillait.

Alors, peu à peu, chaque jour, le gars diminua la bande de pâturage qu'il lui donnait en avançant le piquet de bois où était fixée la corde.

La bête jeûnait, maigrissait, dépérissait[1]. Trop faible pour casser son attache, elle tendait la tête vers la grande herbe verte et luisante, si proche, et dont l'odeur lui venait sans qu'elle y pût toucher.

Mais, un matin, Zidore eut une idée : c'était de ne plus remuer Coco. Il en avait assez d'aller si loin pour cette carcasse.

Il vint cependant, pour savourer sa vengeance. La bête inquiète le regardait. Il ne la battit pas ce jour-là. Il tournait autour, les mains dans les poches. Même il fit mine de la changer de place, mais il renfonça le piquet juste dans le même trou, et il s'en alla, enchanté de son invention.

1. Dépérissait : perdait peu à peu ses forces.

Le cheval, le voyant partir, hennit pour le rappeler; mais le goujat se mit à courir, le laissant seul, tout seul dans son vallon, bien attaché, et sans un brin d'herbe à portée de la mâchoire.

Affamé, il essaya d'atteindre la grasse verdure qu'il touchait du bout de ses naseaux. Il se mit sur les genoux, tendant le cou, allongeant ses grandes lèvres baveuses. Ce fut en vain. Tout le jour, elle s'épuisa, la vieille bête, en efforts inutiles, en efforts terribles. La faim la dévorait, rendue plus affreuse par la vue de toute la verte nourriture qui s'étendait par l'horizon.

Le goujat ne revint point ce jour-là. Il vagabonda par les bois pour chercher des nids.

Il reparut le lendemain. Coco, exténué, s'était couché. Il se leva en apercevant l'enfant, attendant enfin d'être changé de place.

Mais le petit paysan ne toucha même pas au maillet[1] jeté dans l'herbe. Il s'approcha, regarda l'animal, lui lança dans le nez une motte de terre qui s'écrasa sur le poil blanc, et il repartit en sifflant.

Le cheval resta debout tant qu'il put l'apercevoir encore; puis, sentant bien que ses tentatives pour atteindre l'herbe voisine seraient inutiles, il s'étendit de nouveau sur le flanc et ferma les yeux.

Le lendemain, Zidore ne vint pas.

---

1. Maillet: marteau (servant à enfoncer le piquet dans la terre).

Quand il approcha, le jour suivant, de Coco toujours étendu, il s'aperçut qu'il était mort.

Alors il demeura debout, le regardant, content de son œuvre, étonné en même temps que ce fût déjà fini. Il le toucha du pied, leva une de ses jambes, puis la laissa retomber, s'assit dessus, et resta là, les yeux fixés dans l'herbe et sans penser à rien.

Il revint à la ferme, mais il ne dit pas l'accident, car il voulait vagabonder encore aux heures où, d'ordinaire, il allait changer de place le cheval.

Il alla le voir le lendemain. Des corbeaux s'envolèrent à son approche. Des mouches innombrables se promenaient sur le cadavre et bourdonnaient à l'entour.

En rentrant, il annonça la chose. La bête était si vieille que personne ne s'étonna. Le maître dit à deux valets :

— Prenez vos pelles, vous ferez un trou là ousqu'il est[1].

Et les hommes enfouirent le cheval juste à la place où il était mort de faim.

Et l'herbe poussa drue[2], verdoyante, vigoureuse, nourrie par le pauvre corps.

1. Ousqu'il est : où il est (imitation du langage oral populaire).
2. Drue : serrée, vigoureuse.

Le vieux

Un tiède soleil d'automne tombait dans la cour de la ferme, par-dessus les grands hêtres des fossés. Sous le gazon tondu par les vaches, la terre, imprégnée de pluie récente, était moite, enfonçait sous les pieds avec un bruit d'eau ; et les pommiers chargés de pommes semaient leurs fruits d'un vert pâle, dans le vert foncé de l'herbage.

Quatre jeunes génisses[1] paissaient, attachées en ligne, et meuglaient par moments vers la maison ; les volailles mettaient un mouvement coloré sur le fumier, devant l'étable, et grattaient, remuaient, caquetaient, tandis que les deux coqs chantaient sans cesse, cherchaient des vers pour leurs poules, qu'ils appelaient d'un gloussement vif.

La barrière de bois s'ouvrit ; un homme entra, âgé de quarante ans peut-être, mais qui semblait

1. Génisse : jeune vache.

vieux de soixante, ridé, tortu[1], marchant à grands pas lents, alourdis par le poids de lourds sabots pleins de paille. Ses bras trop longs pendaient des deux côtés du corps. Quand il approcha de la ferme, un roquet[2] jaune, attaché au pied d'un énorme poirier, à côté d'un baril qui lui servait de niche, remua la queue, puis se mit à japper en signe de joie. L'homme cria :

– À bas, Finot !

Le chien se tut.

Une paysanne sortit de la maison. Son corps osseux, large et plat, se dessinait sous un caraco de laine qui serrait la taille. Une jupe grise, trop courte, tombait jusqu'à la moitié des jambes, cachées en des bas bleus, et elle portait aussi des sabots pleins de paille. Un bonnet blanc, devenu jaune, couvrait quelques cheveux collés au crâne, et sa figure brune, maigre, laide, édentée, montrait cette physionomie sauvage et brute qu'ont souvent les faces des paysans.

L'homme demanda :

– Comment qu'y va[3] ?

La femme répondit :

– M'sieu l' curé dit que c'est la fin, qu'il n' passera point la nuit.

1. Tortu : difforme.
2. Roquet : petit chien.
3. Comment qu'y va ? : comment va-t-il ? Les répliques de ce conte et du suivant contiennent de nombreuses marques orales imitant le langage des paysans : particularités de syntaxe, de prononciation, de vocabulaire.

Ils entrèrent tous deux dans la maison.

Après avoir traversé la cuisine, ils pénétrèrent dans la chambre, basse, noire, à peine éclairée par un carreau, devant lequel tombait une loque d'indienne[1] normande. Les grosses poutres du plafond, brunies par le temps, noires et enfumées, traversaient la pièce de part en part, portant le mince plancher du grenier, où couraient, jour et nuit, des troupeaux de rats.

Le sol de terre, bossué, humide, semblait gras, et, dans le fond de l'appartement, le lit faisait une tache vaguement blanche. Un bruit régulier, rauque, une respiration dure, râlante, sifflante avec un gargouillement d'eau comme celui que fait une pompe brisée, partait de la couche enténébrée où agonisait un vieillard, le père de la paysanne.

L'homme et la femme s'approchaient et regardèrent le moribond[2], de leur œil placide et résigné.

Le gendre dit :

– C'te fois, c'est fini ; i n'ira pas seulement à la nuit.

La fermière reprit :

– C'est d'puis midi qu'i gargotte[3] comme ça.

Puis ils se turent. Le père avait les yeux fermés, le visage couleur de terre, si sec qu'il semblait en bois. Sa bouche entrouverte laissait passer son

1. Indienne : coton imprimé, avec des motifs inspirés de l'Inde.
2. Moribond : personne qui est sur le point de mourir.
3. Gargotte : fait du bruit en déglutissant.

souffle clapotant et dur ; et le drap de toile grise se soulevait sur la poitrine à chaque aspiration.

Le gendre, après un long silence, prononça :

– Y a qu'à le quitter finir[1]. J'y pouvons rien. Tout d' même c'est dérangeant pour les cossards[2], vu l' temps qu'est bon, qu'il faut r'piquer[3] d'main.

Sa femme parut inquiète à cette pensée. Elle réfléchit quelques instants, puis déclara :

– Puisqu'i va passer, on l'enterrera pas avant samedi ; t'auras ben d'main pour les cossards.

Le paysan méditait ; il dit :

– Oui, mais d'main qui faudra qu'invite pour l'imunation[4], que j' n'ai ben pour cinq à six heures à aller de Tourville à Manetot chez tout le monde.

La femme, après avoir médité deux ou trois minutes, prononça :

– I n'est seulement point trois heures, que tu pourrais commencer la tournée anuit[5] et faire tout l' côté de Tourville. Tu peux ben dire qu'il a passé, puisqu'i n'en a pas quasiment pour la relevée.

L'homme demeura quelques instants perplexe, pesant les conséquences et les avantages de l'idée. Enfin il déclara :

– Tout d' même, j'y vas.

Il allait sortir ; il revint et, après une hésitation :

1. Quitter finir : laisser mourir.
2. Cossards : colza.
3. R'piquer : repiquer, mettre en terre de jeunes plants.
4. Imunation : inhumation (déformation populaire).
5. Anuit : aujourd'hui.

– Pisque t'as point d'ouvrage, loche[1] des pommes à cuire, et pis tu feras quatre douzaines de douillons[2] pour ceux qui viendront à l'imunation, vu qu'i faudra se réconforter. T'allumeras le four avec la bourrée qu'est sous l' hangar au pressoir. Elle est sèque.

Et il sortit de la chambre, rentra dans la cuisine, ouvrit le buffet, prit un pain de six livres, en coupa soigneusement une tranche, recueillit dans le creux de sa main les miettes tombées sur la tablette, et se les jeta dans la bouche pour ne rien perdre. Puis il enleva avec la pointe de son couteau un peu de beurre salé au fond d'un pot de terre brune, l'étendit sur son pain, qu'il se mit à manger lentement, comme il faisait tout.

Et il retraversa la cour, apaisa le chien, qui se remettait à japper, sortit sur le chemin qui longeait son fossé, et s'éloigna dans la direction de Tourville.

Restée seule, la femme se mit à la besogne. Elle découvrit la huche à la farine, et prépara la pâte aux douillons. Elle la pétrissait longuement, la tournant et la retournant, la maniant, l'écrasant, la broyant. Puis elle en fit une grosse boule d'un blanc jaune, qu'elle laissa sur le coin de la table.

1. Loche : du verbe locher qui signifie « secouer un arbre afin d'en faire tomber les fruits ».
2. Douillon : pomme cuite dans de la pâte (plat normand).

Alors elle alla chercher les pommes et, pour ne point blesser l'arbre avec la gaule[1], elle grimpa dedans au moyen d'un escabeau. Elle choisissait les fruits avec soin, pour ne prendre que les plus mûrs, et les entassait dans son tablier.

Une voix l'appela du chemin :

– Ohé, madame Chicot !

Elle se retourna. C'était un voisin, maître Osime Favet, le maire, qui s'en allait fumer[2] ses terres, assis, les jambes pendantes, sur le tombereau d'engrais. Elle se retourna, et répondit :

– Qué qu'y a pour vot' service, maît Osime ?

– Et le pé[3], où qui n'en est ?

Elle cria :

– Il est quasiment passé. C'est samedi l'imunation, à sept heures, vu les cossards qui pressent.

Le voisin répliqua :

– Entendu. Bonne chance ! Portez-vous bien.

Elle répondit à sa politesse :

– Merci, et vous d' même.

Puis elle se remit à cueillir ses pommes.

Aussitôt qu'elle fut rentrée, elle alla voir son père, s'attendant à le trouver mort. Mais dès la porte elle distingua son râle bruyant et monotone, et, jugeant inutile d'approcher du lit pour ne point perdre de temps, elle commença à préparer les douillons.

1. Gaule : longue perche.
2. Fumer : épandre du fumier.
3. Pé : père (abréviation populaire).

Elle enveloppait les fruits, un à un, dans une mince feuille de pâte, puis les alignait au bord de la table. Quand elle eut fait quarante-huit boules, rangées par douzaines l'une devant l'autre, elle pensa à préparer le souper, et elle accrocha sur le feu sa marmite, pour faire cuire les pommes de terre ; car elle avait réfléchi qu'il était inutile d'allumer le four, ce jour-là même, ayant encore le lendemain tout entier pour terminer les préparatifs.

Son homme rentra vers cinq heures. Dès qu'il eut franchi le seuil, il demanda :

– C'est-il fini ?

Elle répondit :

– Point encore ; ça gargouille toujours.

Ils allèrent voir. Le vieux était absolument dans le même état. Son souffle rauque, régulier comme un mouvement d'horloge, ne s'était ni accéléré ni ralenti. Il revenait de seconde en seconde, variant un peu de ton, suivant que l'air entrait ou sortait de la poitrine.

Son gendre le regarda, puis il dit :

– I finira sans qu'on y pense, comme une chandelle.

Ils rentrèrent dans la cuisine et, sans parler, se mirent à souper. Quand ils eurent avalé la soupe, ils mangèrent encore une tartine de beurre, puis, aussitôt les assiettes lavées, rentrèrent dans la chambre de l'agonisant.

La femme, tenant une petite lampe à mèche fumeuse, la promena devant le visage de son père. S'il n'avait pas respiré, on l'aurait cru mort assurément.

Le lit des deux paysans était caché à l'autre bout de la chambre, dans une espèce d'enfoncement. Ils se couchèrent sans dire un mot, éteignirent la lumière, fermèrent les yeux ; et bientôt deux ronflements inégaux, l'un plus profond, l'autre plus aigu, accompagnèrent le râle ininterrompu du mourant.

Les rats couraient dans le grenier.

Le mari s'éveilla dès les premières pâleurs du jour. Son beau-père vivait encore. Il secoua sa femme, inquiet de cette résistance du vieux.

— Dis donc, Phémie, i n' veut point finir. Qué qu' tu f'rais, té ?

Il la savait de bon conseil.

Elle répondit :

— I n' passera point l' jour, pour sûr. N'y a point n'a craindre. Pour lors que l' maire n'opposera pas qu'on l'enterre tout de même demain, vu qu'on l'a fait pour maître Renard le pé, qu'a trépassé juste aux semences.

Il fut convaincu par l'évidence du raisonnement, et il partit aux champs.

Sa femme fit cuire les douillons, puis accomplit toutes les besognes de la ferme.

À midi, le vieux n'était pas mort. Les gens de journée[1] loués pour le repiquage des cossards vinrent en groupe considérer l'ancien qui tardait à s'en aller. Chacun dit son mot, puis ils repartirent dans les terres.

À six heures, quand on rentra, le père respirait encore. Son gendre, à la fin, s'effraya.

– Qué qu' tu f'rais à c'te heure, té, Phémie ?

Elle ne savait non plus que résoudre. On alla trouver le maire. Il promit qu'il fermerait les yeux et autoriserait l'enterrement le lendemain. L'officier de santé, qu'on alla voir, s'engagea aussi, pour obliger[2] maître Chicot, à antidater[3] le certificat de décès. L'homme et la femme rentrèrent tranquilles.

Ils se couchèrent et s'endormirent comme la veille, mêlant leurs souffles sonores au souffle plus faible du vieux.

Quand ils s'éveillèrent il n'était point mort.

Alors ils furent atterrés[4]. Ils restaient debout, au chevet du père, le considérant avec méfiance, comme s'il avait voulu leur jouer un vilain tour, les tromper, les contrarier par plaisir, et ils lui en voulaient surtout du temps qu'il leur faisait perdre.

Le gendre demanda :

1. Gens de journée : ouvriers employés à la journée.
2. Obliger : rendre service.
3. Antidater : mettre une date antérieure à la date réelle.
4. Atterrés : affligés, accablés.

– Qué que j'allons faire ?

Elle n'en savait rien ; elle répondit :

– C'est-i contrariant, tout d' même !

On ne pouvait maintenant prévenir tous les invités, qui allaient arriver sur l'heure. On résolut de les attendre, pour leur expliquer la chose.

Vers sept heures moins dix, les premiers apparurent. Les femmes en noir, la tête couverte d'un grand voile, s'en venaient d'un air triste. Les hommes, gênés dans leurs vestes de drap, s'avançaient plus délibérément, deux par deux, en devisant des affaires.

Maître Chicot et sa femme, effarés, les reçurent en se désolant ; et tous deux, tout à coup, au même moment, en abordant le premier groupe, se mirent à pleurer. Ils expliquaient l'aventure, contaient leur embarras, offraient des chaises, se remuaient, s'excusaient, voulaient prouver que tout le monde aurait fait comme eux, parlaient sans fin, devenus brusquement bavards à ne laisser personne leur répondre.

Ils allaient de l'un à l'autre :

– Je l'aurions point cru ; c'est point croyable qu'il aurait duré comme ça !

Les invités interdits, un peu déçus, comme des gens qui manquent une cérémonie attendue, ne savaient que faire, demeuraient assis ou debout. Quelques-uns voulurent s'en aller. Maître Chicot les retint :

– J'allons casser une croûte tout d' même. J'avions fait des douillons ; faut bien n'en profiter.

Les visages s'éclairèrent à cette pensée. On se mit à causer à voix basse. La cour peu à peu s'emplissait ; les premiers venus disaient la nouvelle aux nouveaux arrivants. On chuchotait, l'idée des douillons égayant tout le monde.

Les femmes entraient pour regarder le mourant. Elles se signaient auprès du lit, balbutiaient une prière, ressortaient. Les hommes, moins avides de ce spectacle, jetaient un seul coup d'œil de la fenêtre qu'on avait ouverte.

Mme Chicot expliquait l'agonie :

— V'là deux jours qu'il est comme ça, ni plus ni moins, ni plus haut ni plus bas. Dirait-on point eune pompe qu'a pu d'iau ?

Quand tout le monde eut vu l'agonisant, on pensa à la collation ; mais, comme on était trop nombreux pour tenir dans la cuisine, on sortit la table devant la porte. Les quatre douzaines de douillons, dorés, appétissants, tiraient les yeux[1], disposés dans deux grands plats. Chacun avançait le bras pour prendre le sien, craignant qu'il n'y en eût pas assez. Mais il en resta quatre.

Maître Chicot, la bouche pleine, prononça :

— S'i nous véyait, l' pé, ça lui f'rait deuil[2]. C'est li qui les aimait d' son vivant.

Un gros paysan jovial déclara :

---

1. Tiraient les yeux : attiraient l'attention.
2. Ça lui f'rait deuil : cela lui ferait mal, l'attristerait.

– I n'en mangera pu, à c't' heure. Chacun son tour.

Cette réflexion, loin d'attrister les invités, sembla les réjouir. C'était leur tour, à eux, de manger des boules.

Mme Chicot, désolée de la dépense, allait sans cesse au cellier chercher du cidre. Les brocs[1] se suivaient et se vidaient coup sur coup. On riait maintenant, on parlait fort, on commençait à crier comme on crie dans les repas.

Tout à coup une vieille paysanne qui était restée près du moribond, retenue par une peur avide de cette chose qui lui arriverait bientôt à elle-même, apparut à la fenêtre, et s'écria d'une voix aiguë :

– Il a passé ! il a passé !

Chacun se tut. Les femmes se levèrent vivement pour aller voir.

Il était mort, en effet. Il avait cessé de râler. Les hommes se regardaient, baissaient les yeux, mal à leur aise. On n'avait pas fini de mâcher les boules. Il avait mal choisi son moment, ce gredin-là.

Les Chicot, maintenant, ne pleuraient plus. C'était fini, ils étaient tranquilles. Ils répétaient :

– J' savions bien qu' ça n' pouvait point durer. Si seulement il avait pu s' décider c'te nuit, ça n'aurait point fait tout ce dérangement.

---

1. Broc : pot, pichet.

N'importe, c'était fini. On l'enterrerait lundi, voilà tout, et on remangerait des douillons pour l'occasion.

Les invités s'en allèrent, en causant de la chose, contents tout de même d'avoir vu ça et aussi d'avoir cassé une croûte.

Et quand l'homme et la femme furent demeurés tout seuls, face à face, elle dit, la figure contractée par l'angoisse :

— Faudra tout d' même r'cuire quatre douzaines de boules ! Si seulement il avait pu s' décider c'te nuit !

Et le mari, plus résigné, répondit :

— Ça n' serait pas à r'faire tous les jours.

Aux champs

À *Octave Mirbeau.*

Les deux chaumières étaient côte à côte, au pied d'une colline, proches d'une petite ville de bains. Les deux paysans besognaient dur sur la terre inféconde pour élever tous leurs petits. Chaque ménage en avait quatre. Devant les deux portes voisines, toute la marmaille[1] grouillait du matin au soir. Les deux aînés avaient six ans et les deux cadets quinze mois environ ; les mariages et, ensuite, les naissances, s'étaient produits à peu près simultanément dans l'une et l'autre maison.

Les deux mères distinguaient à peine leurs produits dans le tas ; et les deux pères confondaient tout à fait. Les huit noms dansaient dans leur tête, se mêlaient sans cesse ; et, quand il fallait en appeler un, les hommes souvent en criaient trois avant d'arriver au véritable.

---

1. Marmaille : groupe d'enfants bruyants et agités.

La première des deux demeures, en venant de la station d'eaux de Rolleport, était occupée par les Tuvache, qui avaient trois filles et un garçon ; l'autre masure abritait les Vallin, qui avaient une fille et trois garçons.

Tout cela vivait péniblement de soupe, de pommes de terre et de grand air. À sept heures, le matin, puis à midi, puis à six heures, le soir, les ménagères réunissaient leurs mioches[1] pour donner la pâtée, comme des gardeurs d'oies assemblent leurs bêtes. Les enfants étaient assis, par rang d'âge, devant la table en bois, vernie par cinquante ans d'usage. Le dernier moutard[2] avait à peine la bouche au niveau de la planche. On posait devant eux l'assiette creuse pleine de pain molli dans l'eau où avaient cuit les pommes de terre, un demi-chou et trois oignons ; et toute la lignée mangeait jusqu'à plus faim. La mère empâtait[3] elle-même le petit. Un peu de viande au pot-au-feu, le dimanche, était une fête pour tous ; et le père, ce jour-là, s'attardait au repas en répétant : « Je m'y ferais bien tous les jours. »

Par un après-midi du mois d'août, une légère voiture s'arrêta brusquement devant les deux chaumières, et une jeune femme, qui conduisait elle-même, dit au monsieur assis à côté d'elle :

1. Mioche : petit enfant (familier).
2. Moutard : petit garçon (familier).
3. Empâtait : gavait.

– Oh! regarde, Henri, ce tas d'enfants! Sont-ils jolis, comme ça, à grouiller dans la poussière!

L'homme ne répondit rien, accoutumé à ces admirations qui étaient une douleur et presque un reproche pour lui.

La jeune femme reprit:

– Il faut que je les embrasse! Oh! comme je voudrais en avoir un, celui-là, le tout-petit!

Et, sautant de la voiture, elle courut aux enfants, prit un des deux derniers, celui des Tuvache, et, l'enlevant dans ses bras, elle le baisa passionnément sur ses joues sales, sur ses cheveux blonds frisés et pommadés de terre, sur ses menottes qu'il agitait pour se débarrasser des caresses ennuyeuses.

Puis elle remonta dans sa voiture et partit au grand trot. Mais elle revint la semaine suivante, s'assit elle-même par terre, prit le moutard dans ses bras, le bourra de gâteaux, donna des bonbons à tous les autres; et joua avec eux comme une gamine, tandis que son mari attendait patiemment dans sa frêle voiture.

Elle revint encore, fit connaissance avec les parents, reparut tous les jours, les poches pleines de friandises et de sous.

Elle s'appelait Mme Henri d'Hubières.

Un matin, en arrivant, son mari descendit avec elle; et, sans s'arrêter aux mioches, qui la connaissaient bien maintenant, elle pénétra dans la demeure des paysans.

Ils étaient là, en train de fendre du bois pour la soupe ; ils se redressèrent tout surpris, donnèrent des chaises et attendirent. Alors la jeune femme, d'une voix entrecoupée, tremblante, commença :

– Mes braves gens, je viens vous trouver parce que je voudrais bien… je voudrais bien emmener avec moi votre… votre petit garçon…

Les campagnards, stupéfaits et sans idée, ne répondirent pas.

Elle reprit haleine et continua.

– Nous n'avons pas d'enfants ; nous sommes seuls, mon mari et moi… Nous le garderions… voulez-vous ?

La paysanne commençait à comprendre. Elle demanda :

– Vous voulez nous prend'e Charlot ? Ah ben non, pour sûr.

Alors M. d'Hubières intervint :

– Ma femme s'est mal expliquée. Nous voulons l'adopter, mais il reviendra vous voir. S'il tourne bien, comme tout porte à le croire, il sera notre héritier. Si nous avions, par hasard, des enfants, il partagerait également avec eux. Mais s'il ne répondait pas à nos soins, nous lui donnerions, à sa majorité, une somme de vingt mille francs, qui sera immédiatement déposée en son nom chez un notaire. Et, comme on a aussi pensé à vous, on vous servira jusqu'à votre mort une

rente[1] de cent francs par mois. Avez-vous bien compris ?

La fermière s'était levée, toute furieuse.

– Vous voulez que j' vous vendions Charlot ? Ah ! mais non ; c'est pas des choses qu'on d'mande à une mère, ça ! Ah ! mais non ! Ce s'rait une abomination.

L'homme ne disait rien, grave et réfléchi ; mais il approuvait sa femme d'un mouvement continu de la tête.

Mme d'Hubières, éperdue, se mit à pleurer, et, se tournant vers son mari, avec une voix pleine de sanglots, une voix d'enfant dont tous les désirs ordinaires sont satisfaits, elle balbutia :

– Ils ne veulent pas, Henri, ils ne veulent pas !

Alors ils firent une dernière tentative.

– Mais, mes amis, songez à l'avenir de votre enfant, à son bonheur, à…

La paysanne, exaspérée, lui coupa la parole :

– C'est tout vu, c'est tout entendu, c'est tout réfléchi… Allez-vous-en, et pi, que j' vous revoie point par ici. C'est i permis d' vouloir prendre un éfant comme ça !

Alors, Mme d'Hubières, en sortant, s'avisa qu'ils étaient deux tout-petits, et elle demanda à travers ses larmes, avec une ténacité de femme volontaire et gâtée, qui ne veut jamais attendre :

1. Rente : somme d'argent versée régulièrement.

– Mais l'autre petit n'est pas à vous ?

Le père Tuvache répondit :

– Non, c'est aux voisins ; vous pouvez y aller si vous voulez.

Et il rentra dans sa maison, où retentissait la voix indignée de sa femme.

Les Vallin étaient à table, en train de manger avec lenteur des tranches de pain qu'ils frottaient parcimonieusement avec un peu de beurre piqué au couteau, dans une assiette entre eux deux.

M. d'Hubières recommença ses propositions, mais avec plus d'insinuations, de précautions oratoires, d'astuce.

Les deux ruraux hochaient la tête en signe de refus ; mais quand ils apprirent qu'ils auraient cent francs par mois, ils se considérèrent, se consultant de l'œil, très ébranlés.

Ils gardèrent longtemps le silence, torturés, hésitants. La femme enfin demanda :

– Qué qu' t'en dis, l'homme ?

Il prononça d'un ton sentencieux :

– J' dis qu' c'est point méprisable.

Alors Mme d'Hubières, qui tremblait d'angoisse, leur parla de l'avenir du petit, de son bonheur, et de tout l'argent qu'il pourrait leur donner plus tard.

Le paysan demanda :

– C'te rente de douze cents francs, ce s'ra promis d'vant l' notaire ?

M. d'Hubières répondit :

– Mais certainement, dès demain.

La fermière, qui méditait, reprit :

– Cent francs par mois, c'est point suffisant pour nous priver du p'tit ; ça travaillera dans quéqu'z' ans c't' éfant ; i nous faut cent vingt francs.

Mme d'Hubières, trépignant d'impatience, les accorda tout de suite ; et, comme elle voulait enlever l'enfant, elle donna cent francs en cadeau pendant que son mari faisait un écrit[1]. Le maire et un voisin, appelés aussitôt, servirent de témoins complaisants.

Et la jeune femme, radieuse, emporta le marmot hurlant, comme on emporte un bibelot désiré d'un magasin.

Les Tuvache, sur leur porte, le regardaient partir, muets, sévères, regrettant peut-être leur refus.

On n'entendit plus du tout parler du petit Jean Vallin. Les parents, chaque mois, allaient toucher leurs cent vingt francs chez le notaire ; et ils étaient fâchés avec leurs voisins parce que la mère Tuvache les agonisait d'ignominies[2], répétant sans cesse de porte en porte qu'il fallait être dénaturé pour vendre son enfant, que c'était une horreur, une saleté, une corromperie[3].

Et parfois elle prenait en ses bras son Charlot avec ostentation[4], lui criant, comme s'il eût compris :

1. Écrit : contrat écrit.
2. Agonisait d'ignominies : accablait d'injures.
3. Corromperie : saloperie, infamie.
4. Avec ostentation : en cherchant à se faire remarquer.

– J' t'ai pas vendu, mé, j' t'ai pas vendu, mon p'tiot. J' vends pas m's éfants, mé. J' sieus pas riche, mais vends pas m's éfants.

Et, pendant des années et encore des années, ce fut ainsi chaque jour ; chaque jour des allusions grossières étaient vociférées devant la porte, de façon à entrer dans la maison voisine. La mère Tuvache avait fini par se croire supérieure à toute la contrée parce qu'elle n'avait pas vendu Charlot. Et ceux qui parlaient d'elle disaient :

– J' sais ben que c'était engageant, c'est égal, elle s'a conduite comme une bonne mère.

On la citait ; et Charlot, qui prenait dix-huit ans, élevé dans cette idée qu'on lui répétait sans répit, se jugeait lui-même supérieur à ses camarades, parce qu'on ne l'avait pas vendu.

Les Vallin vivotaient à leur aise, grâce à la pension. La fureur inapaisable des Tuvache, restés misérables, venait de là.

Leur fils aîné partit au service. Le second mourut ; Charlot resta seul à peiner avec le vieux père pour nourrir la mère et deux autres sœurs cadettes qu'il avait[1].

Il prenait vingt et un ans, quand, un matin, une brillante voiture s'arrêta devant les deux

---

1. « Leur fils aîné... qu'il avait » : étourderie de Maupassant ? Cette répartition ne correspond pas à celle annoncée au début du conte (« les Tuvache, qui avaient trois filles et un garçon »).

chaumières. Un jeune monsieur, avec une chaîne de montre en or, descendit, donnant la main à une vieille dame en cheveux blancs. La vieille dame lui dit :

– C'est là, mon enfant, à la seconde maison.

Et il entra comme chez lui dans la masure des Vallin.

La vieille mère lavait ses tabliers ; le père, infirme, sommeillait près de l'âtre[1]. Tous deux levèrent la tête, et le jeune homme dit :

– Bonjour, papa ; bonjour, maman.

Ils se dressèrent, effarés. La paysanne laissa tomber d'émoi son savon dans son eau et balbutia :

– C'est-i té, m'n éfant ? C'est-i té, m'n éfant ?

Il la prit dans ses bras et l'embrassa, en répétant : « Bonjour, maman. » Tandis que le vieux, tout tremblant, disait, de son ton calme qu'il ne perdait jamais : « Te v'là-t'i revenu, Jean ? » Comme s'il l'avait vu un mois auparavant.

Et, quand ils se furent reconnus, les parents voulurent tout de suite sortir le fieu[2] dans le pays pour le montrer. On le conduisit chez le maire, chez l'adjoint, chez le curé, chez l'instituteur.

Charlot, debout sur le seuil de sa chaumière, le regardait passer.

Le soir, au souper, il dit aux vieux :

1. Âtre : cheminée.
2. Fieu : fils (patois normand).

70

– Faut-i qu' vous ayez été sots pour laisser prendre le p'tit aux Vallin !

Sa mère répondit obstinément :

– J' voulions point vendre not' éfant !

Le père ne disait rien.

Le fils reprit :

– C'est-i pas malheureux d'être sacrifié comme ça !

Alors le père Tuvache articula d'un ton coléreux :

– Vas-tu pas nous r'procher d' t'avoir gardé ?

Et le jeune homme, brutalement :

– Oui, j' vous le r'proche, que vous n'êtes que des niants[1]. Des parents comme vous, ça fait l' malheur des éfants. Qu' vous mériteriez que j' vous quitte.

La bonne femme pleurait dans son assiette. Elle gémit tout en avalant des cuillerées de soupe dont elle répandait la moitié :

– Tuez-vous donc pour élever d's éfants !

Alors le gars, rudement :

– J'aimerais mieux n'être point né que d'être c' que j' suis. Quand j'ai vu l'autre, tantôt, mon sang n'a fait qu'un tour. Je m' suis dit : « V'là c' que j' serais maintenant ! »

Il se leva.

– Tenez, j' sens bien que je ferai mieux de n' pas

1. Niant : bon à rien (patois normand).

rester ici, parce que j' vous le reprocherais du matin au soir, et que j' vous ferais une vie d' misère. Ça, voyez-vous, j' vous l' pardonnerai jamais !

Les deux vieux se taisaient, atterrés, larmoyants.

Il reprit :

— Non, c't' idée-là, ce serait trop dur. J'aime mieux m'en aller chercher ma vie aut' part !

Il ouvrit la porte. Un bruit de voix entra. Les Vallin festoyaient avec l'enfant revenu.

Alors Charlot tapa du pied et, se tournant vers ses parents, cria :

— Manants[1], va !

Et il disparut dans la nuit.

---

1. Manant : paysan, ou personne rustre, sans éducation.

Carnet
de lecture

Qui êtes-vous, Guy de Maupassant ?

Une enfance normande (1850-1870)

Certains noms d'écrivains sont indissociablement liés à la région dont ils sont originaires : George Sand évoque le Berry, comme Marcel Pagnol la Provence. Il en va de même pour Guy de Maupassant et la Normandie, où il naît en 1850, au château familial de Miromesnil. Les paysages ruraux et maritimes de la Normandie, auxquels il restera toujours attaché, serviront plus tard de cadre à de nombreuses nouvelles et à quelques romans.

Fils aîné d'une famille de petite noblesse, éduqué par une mère qui lui transmet son goût pour la littérature, Guy pourrait avoir une enfance douillette et heureuse. Cependant, ses premières années sont obscurcies par les incessantes querelles dont il est témoin, entre une mère anxieuse et un père souvent absent du foyer conjugal. La séparation de ses parents, qui intervient lorsqu'il a douze ans, le marque beaucoup. On peut d'ailleurs se demander si, dans ses œuvres, le regard pessimiste et moqueur qu'il jette sur les relations amoureuses et surtout sur le mariage, n'est pas lié à cet événement de son enfance...

Envoyé alors dans un pensionnat religieux, il trompe son ennui par la lecture. Il trouve aussi son plaisir au bord de la mer à Étretat, où il prend goût à la baignade et à la navigation. Renvoyé de l'institution religieuse pour avoir écrit en cachette des vers trop osés, il est inscrit au lycée de Rouen, où il passe son baccalauréat avant de commencer des études de droit à Paris, moins par vocation que par conformisme aux exigences de son milieu.

Il est pourtant de retour à Rouen lorsque la guerre franco-prussienne éclate en 1870. Mobilisé dans l'intendance, il ne participe pas directement aux combats, mais il garde de cette période une haine des militaires, une détestation de la guerre, et une conscience aiguë de la cruauté dont les hommes sont capables.

Les débuts à Paris (1870-1880)

Les années 1870 sont pour Maupassant celles de l'entrée dans la vie professionnelle et de l'apprentissage de l'écriture. Il se fait engager comme commis au ministère de la Marine, puis à celui de l'Instruction publique. Le moins que l'on puisse dire est que l'univers bureaucratique ne suscite aucun enthousiasme chez lui. Il subit comme des corvées déprimantes les tâches ennuyeuses qui lui sont confiées.

Pour échapper à l'atmosphère étouffante des bureaux, Maupassant fuit régulièrement la ville pour se délasser sur les bords de la Seine. Comme beaucoup de ses contemporains, il se livre au canotage du côté de Chatou, de Bezons ou d'Argenteuil, ces lieux où, à la même époque, les peintres impressionnistes plantent leur chevalet. On retrouve les paysages de l'ouest parisien et les loisirs des canotiers dans de nombreuses nouvelles de Maupassant, comme dans les toiles de Monet ou de Renoir.

Cependant, au cours de ces mêmes années, le commis de 4e classe se prépare un autre avenir. Il commence à fournir des chroniques ou des articles à divers journaux, et s'essaie même avec plus ou moins de bonheur à la poésie et au théâtre. C'est alors que le romancier Flaubert, normand comme lui et ami d'enfance de sa mère, le prend sous son aile et le rencontre régulièrement pour lui dispenser ses conseils dans l'écriture narrative. Il le fait pénétrer dans les milieux littéraires, où il fréquente Zola, Daudet et les frères Goncourt. Flaubert meurt en 1880, juste après la publication d'un recueil collectif de nouvelles intitulé *Les Soirées de Médan* : la nouvelle de Maupassant, *Boule de Suif*, est de loin celle qui obtient le plus de succès. L'auteur vole désormais de ses propres ailes.

Consécration d'un écrivain (1880-1893)

La carrière de l'écrivain sera courte mais éclatante. Maupassant enchaîne les congés avant de démissionner de ses fonctions au ministère de l'Instruction publique. Il se consacre à l'écriture et aux voyages. Sa réputation se forge notamment sur les récits courts. En une dizaine d'années, il publie, d'abord dans la presse, puis sous forme de recueils, des centaines de contes et de nouvelles : « Aux champs » est extrait des *Contes de la Bécasse* (1883) ; « La Parure », « Le Vieux », « Un lâche » et « Coco » sont tirés des *Contes du jour et de la nuit* (1885). Parallèlement, il tient aussi à s'illustrer dans le roman, notamment avec *Une vie* en 1883, et surtout *Bel-Ami* en 1885.

Au cours de cette période, ses succès littéraires lui permettent de voyager en Corse, en Angleterre, en Algérie ou en Tunisie. Au canotage succèdent des moyens de transport plus élaborés : il part en croisière sur son propre yacht, qu'il nomme *Bel-Ami*, et fait même une excursion en ballon entre Paris et la frontière belge.

Cependant, ses dernières années sont assombries par des souffrances physiques et mentales de plus en plus aiguës, causées par une maladie, incurable à cette époque, qu'il avait contractée en 1877 : la syphilis. Ses crises de folie lui inspirent d'abord des contes fantastiques, comme *Le Horla* (1887), mais son état de santé déclinant l'empêche progressivement d'écrire. Maupassant se réfugie dans la solitude et finit par être interné dans la clinique du docteur Blanche, où il meurt quelques mois plus tard en 1893, à l'âge de quarante-trois ans.

Il était une fois... l'art de conter

Contes ou nouvelles?

Les récits brefs de Maupassant sont réunis dans des recueils sous le titre de « contes ». De nos jours, on parle plutôt de Maupassant comme d'un « maître de la nouvelle ». Quelles distinctions fait-on entre ces deux termes?

D'abord, l'origine du conte est orale : quelqu'un raconte une histoire, que ce soit un conteur aux gens du village après les travaux des champs, ou une grand-mère à ses petits-enfants avant l'heure du coucher. Cette dimension orale se sent parfois dans certains récits de Maupassant, lorsqu'un personnage raconte l'histoire à d'autres personnages. Ce n'est pas le cas dans les œuvres qui composent le présent recueil : l'histoire est écrite et non orale, le narrateur n'est pas un personnage.

Ensuite, on associe davantage le conte à un univers merveilleux, comme celui du conte de fées, ou à des événements surnaturels, comme ceux du conte fantastique. La nouvelle, quant à elle, peut présenter des événements surprenants, voire extraordinaires : c'est ce qui fait son caractère piquant. Cependant, les faits présentés n'ont rien de surnaturel, ils apparaissent au contraire comme très réalistes.

Toujours est-il qu'à la fin du xixe siècle, on ne distingue guère les deux genres. Selon le *Littré*, dictionnaire de référence à cette époque, « la nouvelle ne se distingue pas au fond du conte ». Ce même dictionnaire présente le conte comme un « récit d'aventures merveilleuses ou autres, fait en vue d'amuser », et la nouvelle comme une « sorte de roman très court, récit d'aventures intéressantes ou amusantes ». La nouvelle et le conte se ressemblent donc par leur brièveté, et leur capacité à susciter en quelques pages un intérêt très vif chez le lecteur.

Bref !
La différence entre récit long (le roman) et récit court (le conte ou la nouvelle) est très relative, et difficile à déterminer de façon chiffrée : quelle serait la limite entre une longue nouvelle et un roman court ?... En fait, la nouvelle se reconnaît moins au nombre de pages qu'à certaines particularités d'écriture, que l'on pourrait résumer en trois termes : concentration, tension, chute.

– *Concentration* :
La relative brièveté du récit suppose que l'on concentre son attention sur un nombre limité de personnages et d'événements : un couple se rend à un bal, un homme s'apprête à se battre en duel, deux paysans préparent un enterrement... L'action se réduit à quelques scènes qui courent sur une durée resserrée. Même dans « La Parure » ou « Aux champs », qui

couvrent une longue période, le narrateur focalise en fait notre attention sur deux moments seulement de la vie des personnages.

– *Tension* :

L'économie de la narration empêche les descriptions et les analyses trop longues. Ainsi les actions et les émotions s'enchaînent-elles rapidement, entraînant le lecteur dans une intrigue unique tout entière dirigée vers son dénouement. Même si le cadre est banal et quotidien, on sent qu'il doit se passer quelque chose, et on attend la chute.

– *Chute* :

Une bonne chute doit être préparée, attendue, et en même temps surprenante. Maupassant est passé maître dans cette manière de dénouer brutalement son récit. Il termine souvent la narration sur une phrase brève qui laisse le lecteur songeur. Ce peut être une vision frappante (le testament dans « Un lâche », l'herbe drue dans « Coco »), ou une phrase qui sonne comme un claquement de fouet (dans « La Parure », « Le Vieux », « Aux champs »).

La fiction et la réalité

Réaliste ou naturaliste ?

Les nouvelles et les romans de Maupassant sont natu-
rellement des fictions, c'est-à-dire des histoires inven-
tées. Cependant, l'auteur cherche toujours à rester
fidèle à son observation du réel. C'est pourquoi on
range souvent Maupassant parmi les écrivains du courant réaliste.

On le rattache aussi à l'école naturaliste (qui est un
prolongement du réalisme), car il fréquente le cercle
de Zola, chef de file de ce mouvement. Ce dernier
donne au roman un objectif scientifique : non seulement observer le réel, mais expliquer les comporte-
ments humains, par exemple par l'influence de
l'hérédité ou du milieu social. Contrairement à Zola,
Maupassant ne cherche pas à peindre une société sous
tous ses aspects. Il ne se documente pas non plus abon-
damment avant de se lancer dans l'écriture. Il évoque
les milieux qu'il connaît bien, comme la paysannerie
normande, la bureaucratie parisienne et la société
mondaine.

En fait, Maupassant se méfie des étiquettes et des
théories littéraires. Pour lui, chaque auteur a sa person-
nalité. Comme il l'explique dans la préface de *Pierre et*

Jean (1888), le roman doit rester fidèle à la vérité, mais cela consiste moins à copier le réel, ce qui serait impossible, qu'à « donner l'illusion complète du vrai ». Ce sont donc le regard personnel de l'auteur et son talent d'écrivain qui font une œuvre véritablement réaliste.

L'impression de réel

Comment l'auteur donne-t-il au lecteur cette illusion du vrai ? D'abord, Maupassant n'invente pas tout : il s'inspire du réel, de faits qu'il a observés ou vécus, d'anecdotes qu'on lui a racontées. De plus, l'histoire se passe toujours dans un univers reconnaissable : pas d'exotisme, pas d'évasion dans un imaginaire fantaisiste. Les faits se produisent à l'époque contemporaine, dans un espace géographique parfaitement identifiable : le père Chicot se plaint d'en avoir « pour cinq à six heures pour aller de Tourville à Manetot » ; le vicomte de Signoles invite ses amis à « prendre une glace chez Tortoni », célèbre café parisien que connaissent bien les lecteurs de l'époque.

Par ailleurs, l'écrivain plonge le lecteur dans la situation en lui donnant à voir et à entendre les scènes qu'il présente. Point de longues descriptions certes, mais Maupassant sait choisir le petit détail particulier, celui dont on se dit qu'il n'a pas été inventé, ni emprunté, mais observé et pris sur le vif. Ainsi la description de la mère Chicot : « Une jupe grise, trop courte, tombait jusqu'à la moitié des jambes, cachées en des bas bleus, et elle portait aussi des sabots pleins de paille. » Et les scènes sont rendues encore plus vivantes par l'abondance des dialogues, qui font entendre les vibrations des voix des personnages, surtout lorsque Maupassant imite le vocabulaire et l'accent propres au milieu concerné : « J' voulions point vendre not' éfant ! »

Enfin, s'il est un reproche qu'on ne peut faire à notre auteur, c'est bien d'embellir la réalité ! Les anecdotes nous paraissent saisissantes, mais toujours crédibles. Les personnages vont de l'ordinaire au vulgaire, les situations évoluent du trivial au sordide. On a d'ailleurs accusé en leur temps Flaubert, Zola et Maupassant d'indécence, c'est-à-dire de montrer des choses qui n'étaient pas dignes d'être exposées au grand jour.

Désespoir et humour noir

Des humains peu humains!

On qualifie souvent Maupassant d'auteur pessimiste : il est vrai que ses œuvres donnent une image peu reluisante de l'humanité. Cupidité de parents qui n'hésitent pas à vendre leur enfant ; ingratitude d'un fils qui reproche à ses parents de ne pas l'avoir vendu ; lâcheté d'un vicomte qui tremble à la perspective d'un duel ; vanité d'une jeune femme qui veut briller dans la bonne société ; égoïsme d'un couple qui s'impatiente du fait que « le vieux » ne meure pas assez vite ; cruauté d'un domestique qui prend plaisir à torturer un animal inoffensif… La liste pourrait encore s'allonger, de toutes les bassesses humaines que Maupassant étale dans ses écrits.

C'est la vision d'une humanité misérable, qui ne semble jamais pouvoir être sauvée par l'amour, la pitié, le sentiment filial, ou simplement la générosité. Et le tableau est encore assombri par le fait que les victimes elles-mêmes ne sont pas toujours innocentes : Mme Loisel est victime de sa propre coquetterie, comme le vicomte de son propre emportement ; les Tuvache ont certes bien agi, mais leur jalousie envers les Vallin montre bien qu'ils regrettent leur acte. La seule victime innocente est Coco, un animal, comme si l'homme était, au fond, plus sauvage que la bête.

La cruauté du sort

Si les hommes se comportent comme des êtres misérables, leur condition n'est guère plus brillante. Le sort s'acharne sur eux. Il semble qu'une fatalité intervienne pour que les événements tournent systématiquement à l'opposé de ce qui était désiré : un fils insulte ses parents, parce qu'ils l'ont protégé ; une jeune femme gâche sa vie et perd sa beauté, parce qu'elle voulait être admirée ; un père meurt trop tard comme par un fait exprès, « comme s'il avait voulu leur jouer un vilain tour ». Si la destinée entendait se moquer de ses victimes, elle ne s'y prendrait pas autrement. La chute des nouvelles est là pour souligner cette ironie du sort, comme cette herbe vigoureuse qui pousse à l'endroit où Coco est mort de faim, nourrie par le corps de celui qu'elle devait alimenter.

Mais qui décide du sort de ces personnages, sinon Maupassant lui-même ? Ne prend-il pas un malin plaisir à les mettre dans ces situations ? N'emmène-t-il pas le lecteur lui-même à s'amuser de situations grotesques ou absurdes, même si elles sont parfois macabres ? En effet, on peut déceler un certain humour noir dans l'histoire d'une femme qui a ruiné sa santé, ses espoirs et son compte en banque, pour *rien* ; dans celle d'une paysanne qui se préoccupe davantage de ses « douillons » que de son père agonisant ; ou dans celle d'un vicomte qui se donne la mort par crainte de sa propre peur !

Il ne faudrait pourtant pas croire que Maupassant est un auteur insensible, qui regarderait de haut ses personnages et les mépriserait. Certes, la narration est souvent très sèche : elle s'en tient aux faits, dans toute leur brutalité, sans l'expression d'un jugement ou d'une émotion de la part du narrateur. Cependant, Maupassant utilise habilement le point de vue interne des personnages, de sorte que nous voyons la situation à travers leur regard. Nous comprenons le vicomte, parce que nous suivons ses pensées. De même, nous éprouvons avec Coco son calvaire, lorsqu'il regarde s'éloigner Zidore, « le laissant seul, tout seul dans son vallon, bien attaché, et sans un brin d'herbe à portée de la mâchoire ».

Si Maupassant se contentait de nous faire assister de loin au sort misérable de ses personnages, ses œuvres seraient bien moins puissantes qu'elles ne le sont. Mais il sait nous faire partager leurs pensées, ainsi que leurs émotions, des plus mesquines aux plus pitoyables.

Table des matières

Retrouvez d'autres
textes classiques
——————————
dans la collection

**FOLIO
JUNIOR**

Cyrano de Bergerac
Edmond Rostand

n° 515

Escrimeur et poète accompli, Cyrano de Bergerac ne manque pas de panache. Il n'a qu'un défaut : son nez, aussi grand qu'un monument !

Comment, affublé d'un nez pareil, avouer à Roxane, sa cousine, l'amour qu'il a pour elle ? Quand celle-ci s'éprend de Christian, jeune homme séduisant mais sans esprit, Cyrano fait à son rival une incroyable proposition : il lui prêtera ses mots pour faire la cour à la belle...

Un chef-d'œuvre de virtuosité en version abrégée.

Trois histoires fantastiques du xixe siècle
Maupassant, Mérimée, Gautier

n° 1605

Un homme hanté par un double invisible... Une statue maléfique qui tue par jalousie... Un voyageur amoureux du fantôme d'une jeune femme... Quand nos peurs troublent notre raison, comment distinguer le rêve du réel ?

Le Horla, *La Vénus d'Ille* et *La Cafetière*, trois chefs-d'œuvre de la littérature fantastique du xixe siècle réunis en un seul volume.

Le comte de Monte-Cristo
Alexandre Dumas
n° 1606

Edmond Dantès, un jeune marin, doit épouser la belle Mercédès. Accusé à tort de complot contre le roi, il est enfermé dans la terrible prison du château d'If. Quatorze ans plus tard, il parvient à s'évader avec la complicité de l'abbé Faria qui lui lègue une immense fortune. Devenu le comte de Monte-Cristo, Edmond n'a plus qu'une obsession : tisser les fils d'une implacable vengeance.

Un chef-d'œuvre d'Alexandre Dumas en version abrégée.

Le capitaine Fracasse
Théophile Gautier
n° 1690

Le baron de Sigognac mène une vie solitaire dans son manoir en ruine. Une nuit, il y accueille une troupe de comédiens ambulants et décide de tout quitter pour les beaux yeux d'Isabelle. Sous le nom de capitaine Fracasse, il part à l'aventure sur les routes de France. Duels, traquenards, enlèvement : le jeune homme n'a plus le temps de s'ennuyer !

Un grand classique du roman de cape et d'épée en version abrégée.

Le papier de cet ouvrage est composé de fibres naturelles, renouvelables,
recyclables et fabriquées à partir de bois provenant
de forêts gérées durablement.

Mise en pages : Didier Gatepaille

Loi n° 49-956 du 16 juillet 1949
sur les publications destinées à la jeunesse
ISBN : 978-2-070659845
Numéro d'édition : 325633
Dépôt légal : août 2016
1er dépôt légal : juillet 2017

Imprimé en Espagne chez Novoprint (Barcelone)